D1379441

Olivier Severyns

Easy smoothies

Photographies de Caroline Faccioli

Stylisme d'Emmanuel Renault

ISBN : 978-2-7540-0888-4
Dépôt légal : 2e trimestre 2008
Imprimé en France - L50007
Édition : Aurélie Starckmann
Conception graphique : Istria
Photos © Caroline Faccioli
Pictogramme © Pascale Etchecopar

Éditions First
60, rue Mazarine
75006 Paris – France
e-mail : firstinfo@efirst.com
Site internet : www.editionsfirst.fr

Sommaire

Introduction

Les smoothies sont partout autour de nous : dans les bars à jus, dans les restaurants, dans nos supermarchés, et même dans les cafés ! Avec ce livre, les smoothies vont enfin trouver leur place dans le meilleur endroit qui soit : dans votre cuisine !

Qu'est-ce qu'un smoothie ? Si l'on s'en tient aux faits historiques, et pour peu que l'on soit un puriste, un smoothie est une purée de fruits entiers mixés dans un blender avec un peu de jus de fruits. C'est tout. Les smoothies ont cet avantage sur les simples jus de fruits, qu'ils contiennent tous les apports nutritifs des fruits, fibres incluses. Un smoothie revient à déguster une salade de fruits avec une paille !

Une autre caractéristique des smoothies est leur bénéfice santé : un smoothie se doit de nous faire du bien ! Pour cela un smoothie peut être réalisé avec des fruits, mais aussi des légumes, du jus de fruit (pur jus), du miel, des plantes aromatiques, du lait, du yaourt ou des infusions. Pour faire simple : des ingrédients naturels, sans sucre ajouté.

Glacé ou pas ? En France, il n'est pas trop dans nos habitudes d'ajouter beaucoup de glaçons à nos différentes boissons, sodas ou cocktails. Certains d'entre nous vont donc rechigner à ajouter des glaçons dans la composition de leurs smoothies, et après tout, ce n'est pas bien grave. Néanmoins, il faut considérer que faire un smoothie glacé présente bien des avantages : la boisson en sera d'autant plus rafraîchissante, et par ailleurs le blender va utiliser la glace pilée pour bien lier entre elles les différentes fibres et pulpes des fruits. Le résultat sera une boisson à la consistance homogène. Enfin, les vitamines sont très sensibles à l'oxydation qui elle même est favorisée par l'air et la chaleur. Un smoothie frappé préservera donc un peu mieux les éléments nutritifs des fruits qu'il contient.

Il est également parfaitement acceptable, voire encouragé, d'utiliser des fruits surgelés : ceci permet d'utiliser certains fruits toute l'année avec des qualités gustatives et nutritionnelles parfois aussi intéressantes que certains fruits frais.

Ceci nous amène au matériel. Quelles machines sont indispensables pour la préparation des smoothies ? En réalité, une seule machine est indispensable : le blender. Vous trouverez un nombre important de modèles, à des prix tout aussi variés. Honnêtement, il n'existe aucune barrière financière à faire ses propres smoothies : les blenders premiers prix feront généralement l'affaire pour réaliser un ou deux smoothies par jour !

Si vous êtes vraiment mordu par les smoothies et désirez acquérir un modèle qui vous rendra de bons et loyaux services pendant de nombreuses années, choisissez un blender capable de broyer les glaçons (ou les fruits surgelés), avec un bol incassable, et une puissance élevée. Un blender avec un moteur puissant vous permettra de mixer vos boissons en 10 ou 20 secondes, ce qui est préférable pour la survie des vitamines à une durée de 40 ou 50 secondes.

S'il y a donc une chose à retenir avant de vous lancer dans la confection de vos smoothies, c'est que c'est facile, enfantin même ! Amusez-vous à marier les fruits que vous avez sous la main, explorez les saveurs de fruits inconnus, expérimentez avec des fruits secs ou des noix : les possibilités sont infinies !

Moana juice

coût moyen • assez facile à réaliser • préparation : 6 min • pour 2 verres

fruits de la passion
mangue - fraises - pêches
jus de pomme

Ingrédients pour 2 verres de 30 cl :

3 fruits de la passion
1 demi-mangue
50 g de fraises
1 pêche
environ 40 cl de jus de pomme
quelques glaçons

Coupez en deux les fruits de la passion et retirez la chair avec une petite cuillère. Pelez la mangue avec un grand couteau de cuisine et retirez la chair du noyau en commençant par les côtés plats du fruit.
Rincez les fraises sous l'eau froide avant de les équeuter. Pelez la pêche, et coupez-la en deux afin d'en retirer le noyau.
Versez le jus de pomme, puis les fruits et enfin 5 ou 6 glaçons au choix.
Mixez entre 20 et 30 secondes.
Versez dans un verre et consommez immédiatement.

Passionata cream

coût moyen • facile à réaliser • préparation : 4 min • pour 2 verres

abricot
fruit de la passion
lait de soja

Ingrédients pour 2 verres de 30 cl :

8 abricots frais et mûrs ou 5 abricots secs
3 fruits de la passion
40 cl de lait de soja
quelques glaçons

Coupez en deux les fruits de la passion et retirez la chair avec une petite cuillère.
Lavez les abricots sous l'eau froide avant de les couper en deux et d'en retirer les noyaux.
Versez d'abord le lait de soja dans le blender, puis ajoutez la pulpe de fruits de la passion et les abricots. Vous pouvez ajouter 4 ou 5 glaçons à convenance.
Mixez entre 20 et 30 secondes.
Versez dans un verre et consommez immédiatement.

Papayamania

bon marché • facile à réaliser • préparation : 4 min • pour 2 verres

fraise - papaye - miel
jus de citron - yaourt - lait

Ingrédients pour 2 verres de 30 cl :

50 g de fraises fraîches ou surgelées

une demi-papaye

le jus d'un demi-citron

1 cuillère à soupe de miel

1 yaourt

environ 40 cl de lait

quelques glaçons

Rincez les fraises sous l'eau froide avant de les équeuter. Pelez la papaye et coupez la en deux dans le sens de la longueur afin d'en retirer les graines avec une petite cuillère.
Versez le lait et le yaourt dans le blender.
Ajoutez le miel et le jus de citron.
Ajoutez les fruits et complétez avec 4 ou 5 glaçons.
Mixez entre 20 et 30 secondes.
Versez dans un verre et consommez immédiatement.

Banamão tango

bon marché • facile à réaliser • préparation : 4 min • pour 2 verres

papaye - banane - miel
yaourt - lait
jus de raisin

Ingrédients pour 2 verres de 30 cl :

1 demi-papaye

1 banane

1 cuillère à soupe de miel

1 yaourt

20 cl de jus de raisin

20 cl de lait

Pelez la papaye et coupez-la en deux dans le sens de la longueur afin d'en retirer les graines avec une petite cuillère. Pelez la banane.
Versez le lait, le jus de raisin, le yaourt et le miel dans le blender.
Ajoutez la papaye et la banane au blender.
Mixez entre 10 et 20 secondes.
Versez dans un verre et consommez immédiatement.

Banasutra

bon marché • facile à réaliser • préparation : 4 min • pour 2 verres

banane - pastèque
gingembre - menthe fraîche
miel - jus de pomme

Ingrédients pour 2 verres de 30 cl :

- environ 30 cl de jus de pomme
- 1 banane
- entre 1 et 2 cm d'une racine de gingembre selon goût
- 1 cuillère à soupe de miel
- 4 ou 5 feuilles de menthe fraîche
- environ 200 g de chair de pastèque
- quelques glaçons

Versez le jus de pomme dans le blender avec les feuilles de menthe et le miel.
Coupez un quartier de pastèque et retirez la peau et les graines.
Pelez la banane.
Grattez un bout de gingembre avec la lame d'un couteau d'office pour en retirer la peau. Coupez morceau de gingembre d'environ 2 cm de longueur.
Ajoutez la pastèque, la banane et le gingembre au blender avec 4 ou 5 glaçons.
Mixez entre 20 et 30 secondes.
Versez dans un verre et consommez immédiatement.

Bananalatte

bon marché • facile à réaliser • préparation : 6 min • pour 2 verres

banane
miel
yaourt - lait

Ingrédients pour 2 verres de 30 cl :

- 1 banane mûre
- 2 yaourts
- 2 cuillères à soupe de miel
- 40 cl de lait

Versez le lait dans le blender, puis ajoutez la banane pelée, les deux yaourts et l'équivalent de deux cuillères à soupe de miel.
Mixez entre 10 et 20 secondes.
Versez dans un verre et consommez immédiatement.

Haka délice

bon marché • facile à réaliser • préparation : 4 min • pour 2 verres

kiwi
papaye
banane
jus d'ananas

Ingrédients pour 2 verres de 30 cl :

1 demi-papaye
1 kiwi
1 banane mure
environ 40 cl de jus d'ananas
quelques glaçons

Pelez le kiwi avec un couteau d'office et le couper en deux.
Pelez la papaye et coupez la en deux dans le sens de la longueur afin d'en retirer les graines avec une petite cuillère.
Verser le jus d'ananas dans le blender.
Ajoutez la papaye, la banane et le jus d'ananas avec quelques glaçons.
Mixez entre 20 et 30 secondes.
Versez dans un verre et consommez immédiatement.

Lemon cream

bon marché • facile à réaliser • préparation : 6 min • pour 2 verres

citron vert
papaye
miel
lait de coco

Ingrédients pour 2 verres de 30 cl :

1 demi-citron vert
1 demi-papaye
1 cuillère à soupe de miel
environ 40 cl de lait de coco
quelques glaçons

Pelez le citron vert avec un petit couteau d'office et coupez-le en deux.
Pelez la papaye et coupez la en deux dans le sens de la longueur afin d'en retirer les graines avec une petite cuillère.
Versez le lait de coco dans le blender avec une cuillerée à soupe de miel.
Pilez 5 ou 6 glaçons dans un torchon propre.
Ajoutez la moitié du citron vert, la moitié de la papaye et la glace pilée dans le blender.
Mixez entre 10 et 20 secondes.
Versez dans un verre et consommez immédiatement.

Naranja tropical

bon marché • facile à réaliser • préparation : 6 min • pour 2 verres

mangue
ananas
jus d'orange

Ingrédients pour 2 verres de 30 cl :

environ 40 cl de jus d'orange pressée (5 ou 6 oranges environ)

la moitié d'une mangue fraîche

1/8 d'ananas frais

quelques glaçons

1. Pelez la mangue avec un grand couteau de cuisine, retirez la chair du noyau en commençant par les côtés plats du fruit.

2. Pelez l'ananas et coupez-le en 8 quartiers ; il est inutile de retirer le cœur.

3. Versez le jus d'orange pressée dans le blender ; ajoutez les morceaux de mangue et d'ananas, puis 4 ou 5 glaçons à convenance.

4. Mixez entre 20 et 30 secondes, versez dans un verre et consommez immédiatement.

variante

Quelques feuilles de menthe sont une option rafraîchissante pour ce smoothie.

truc de cuisinier

La mangue et l'ananas frais sont suffisamment riches en vitamines, C notamment, pour se contenter de jus d'orange en bouteille (de préférence 100% pur jus et non pas à base de concentré).

Cocopacabana

bon marché • facile à réaliser • préparation : 4 min • pour 2 verres

mangue
banane
lait de coco

Ingrédients pour 2 verres de 30 cl :

environ 40 cl de lait de coco

la moitié d'une mangue fraîche

1 banane mûre pelée

quelques glaçons

1. Pelez la mangue avec un grand couteau de cuisine, retirez la chair du noyau en commençant par les côtés plats du fruit.
2. Versez le lait de coco dans le blender ; ajoutez la banane et les morceaux de mangue.
3. Pilez 4 ou 5 glaçons dans un torchon propre avec un rouleau à pâtisserie et versez dans le blender.
4. Mixez entre 10 et 15 secondes, versez dans un verre et consommez immédiatement.

variante

Jouez la carte de l'exotisme et remplacer l'un des ingrédients par un autre fruit exotique, le litchi par exemple.

truc de cuisinier

Ne mixez pas trop longuement sinon le lait de coco va s'épaissir. Pour éviter de mettre trop de glaçons (qui pourraient ne pas être mixés entièrement), mettez les morceaux de fruits au freezer une vingtaine de minutes avant la préparation.

litres
1.5
1.3
1.1
0.9

Apasionada

bon marché • facile à réaliser • préparation : 6 min • pour 2 verres

fruits de la passion
mangue
banane
jus d'ananas

Ingrédients pour 2 verres de 30 cl :

2 fruits de la passion
1 demi-mangue
1 banane mûre
environ 40 cl de jus d'ananas
quelques glaçons

1 Coupez en deux les fruits de la passion, retirez l'intérieur avec une petite cuillère et versez la pulpe avec les graines dans le blender.

2 Pelez la mangue avec un grand couteau de cuisine, retirez la chair du noyau en commençant par les côtés plats du fruit.

3 Versez le jus d'ananas, puis la mangue et la banane dans le blender, avec 4 ou 5 glaçons.

4 Mixez entre 20 et 30 secondes, versez dans un verre et consommez immédiatement

variante

Le jus d'ananas peut facilement être remplacer par du jus d'orange.

truc de cuisinier

Si vous avez des mangues qui ne sont pas encore à maturité, enveloppez-les dans du papier journal quelques jours pour accélérer la maturation.

Afrabana detox

bon marché • facile à réaliser • préparation : 4 min • pour 2 verres

ananas
fraise
banane
jus d'ananas

Ingrédients pour 2 verres de 30 cl :

environ 1/8 d'ananas

50 g de fraises fraîches ou surgelées

1 banane mûre

environ 40 cl de jus d'ananas

quelques glaçons

1. Pelez l'ananas et coupez-le en 8 quartiers ; il est inutile de retirer le cœur.
2. Versez l'ananas, les fraises et la banane dans le blender.
3. Ajoutez le jus d'ananas et quelques glaçons.
4. Mixez entre 20 et 30 secondes, versez dans un verre et consommez immédiatement.

variante

Le jus d'ananas peut être remplacé par du jus d'orange pour une recette moins sucrée.

truc de cuisinier

Le couteau à pain est très efficace pour découper l'ananas.

je vais essayer
d'en faire chez moi

Ananas salto

bon marché • facile à réaliser • préparation : 6 min • pour 2 verres

papaye
ananas
jus d'ananas

Ingrédients pour 2 verres de 30 cl :

- une demi-papaye
- environ 1/8 d'ananas
- environ 40 cl de jus d'ananas
- quelques glaçons

1 Pelez l'ananas et coupez-le en 8 quartiers ; il est inutile de retirer le cœur.

2 Pelez la papaye avec un couteau d'office, et retirez les graines noires avec une cuillère.

3 Versez l'ananas, la papaye et le jus d'ananas dans le blender avec 4 ou 5 glaçons.

4 Mixez entre 20 et 30 secondes, versez dans un verre et consommez immédiatement.

variante

Un peu de jus de citron vert peut être ajouté à cette recette.

truc de cuisinier

Préférez le jus d'ananas pur jus au jus d'ananas à base de concentré.

Basil tropic

bon marché • facile à réaliser • préparation : 4 min • pour 2 verres

ananas
banane
basilic
jus d'ananas

Ingrédients pour 2 verres de 30 cl :

environ 1/8 d'ananas

3 ou 4 feuilles de basilic frais

1 banane mûre

environ 40 cl de jus d'ananas

quelques glaçons

1. Pelez l'ananas et coupez-le en 8 quartiers ; il est inutile de retirer le cœur.
2. Versez l'ananas et la banane dans le blender.
3. Ajoutez les feuilles de basilic, le jus d'ananas et 4 ou 5 glaçons.
4. Mixez entre 20 et 30 secondes, versez dans un verre et consommez immédiatement

variante

Pour un smoothie gourmand à consommer avec modération, rajoutez un peu de Nutella...

truc de cuisinier

N'hésitez pas à expérimenter le dosage du basilic ; mixez avec 2 feuilles de basilic, goûtez, et rajoutez une ou deux feuilles supplémentaires.

bueno

Thai twist

bon marché • facile à réaliser • préparation : 6 min • pour 2 verres

mangue
pêche
gingembre
jus de pomme

Ingrédients pour 2 verres de 30 cl :

1 demi-mangue

1 pêche

entre 1 et 2 cm d'une racine de gingembre selon votre goût

quelques glaçons

1. Pelez la mangue avec un grand couteau de cuisine et retirez la chair du noyau en commençant par les côtés plats du fruit ; pelez la pêche et retirez le noyau.
2. Versez le jus de pomme dans le blender ; coupez un bout de racine de gingembre, entre 1 et 2 cm, et ajouter au blender.
3. Ajoutez les morceaux de mangue et de pêche avec 4 ou 5 glaçons.
4. Mixez entre 20 et 30 secondes, versez dans un verre et consommez immédiatement

variante

Vous pouvez remplacer le jus de pomme par un mélange de jus de carotte et de jus d'orange pour une version légèrement moins sucrée.

truc de cuisinier

Pelez le gingembre en le tenant verticalement sur le plan de travail, et en grattant la peau avec la lame d'un couteau d'office tenu perpendiculairement à la racine.

Gobanana

bon marché • facile à réaliser • préparation : 6 min • pour 2 verres

goyave
ananas
fraise
banane
jus d'ananas

Ingrédients pour 2 verres de 30 cl :

2 goyaves
1/8 d'ananas
environ 50 g de fraises
1 demi-banane
environ 40 cl de jus d'ananas
quelques glaçons

1 Pelez et coupez en deux les goyaves, retirez les graines. Pelez l'ananas et coupez-le en 8 quartiers ; il est inutile de retirer le cœur.

2 Versez dans le blender la goyave, un quartier d'ananas, les fraises et une demi banane pelée.

3 Versez le jus d'orange pressée dans le blender avec 5 ou 6 glaçons.

4 Mixez entre 20 et 30 secondes, versez dans un verre et consommez immédiatement.

variante

La goyave peut facilement être remplacée par un autre fruit exotique comme la mangue ou la papaye.

Quand un smoothie est réalisé avec beaucoup de fruits à chair tendre, il peut être agréable d'ajouter plus de glaçons que d'habitude, afin d'aérer un peu la consistance.

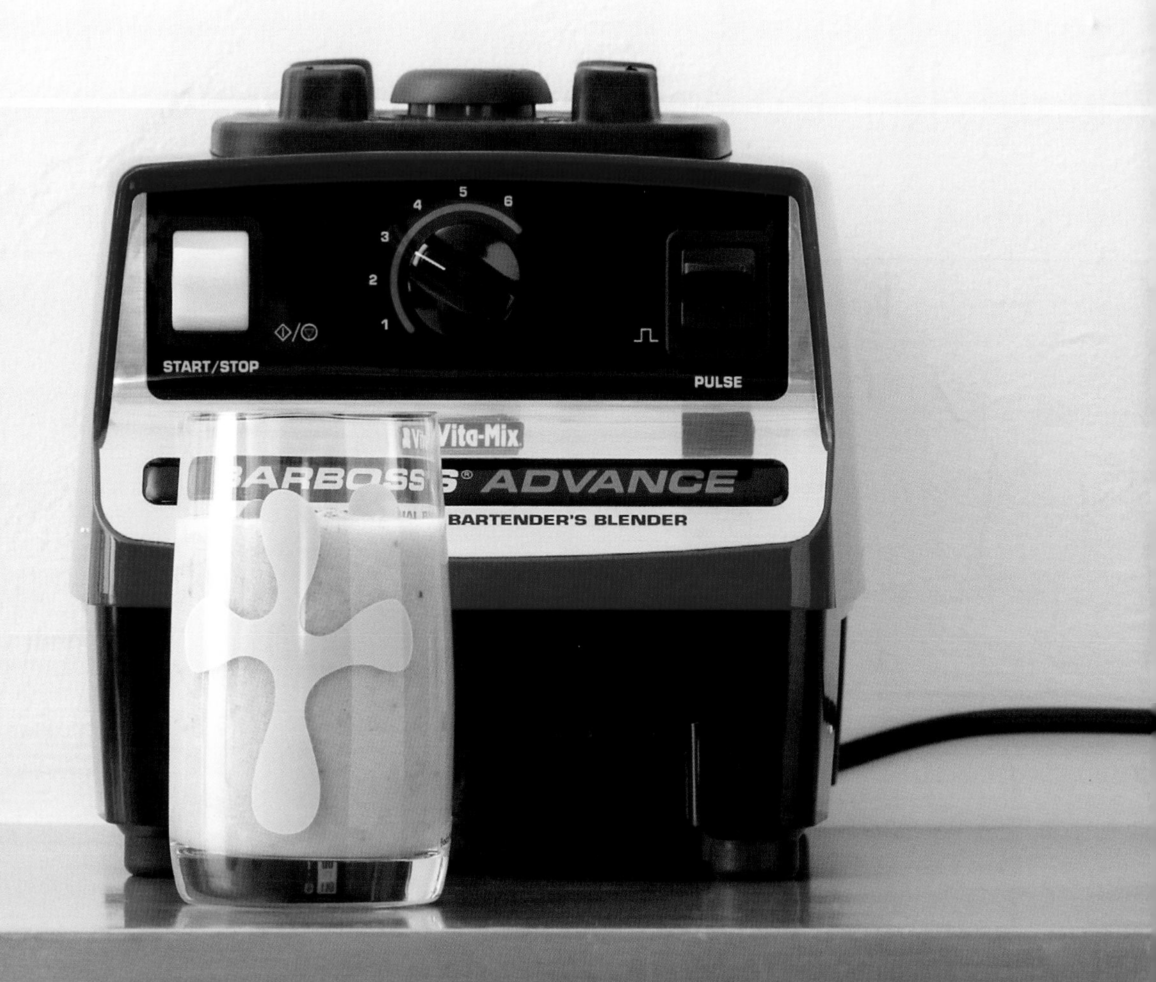
START/STOP
1
2
3
4
5
6
PULSE
Vita-Mix
ADVANCE
BARTENDER'S BLENDER

Gingomango

bon marché • facile à réaliser • préparation : 6 min • pour 2 verres

mangue
gingembre
ananas
yaourt
lait

Ingrédients pour 2 verres de 30 cl :

2 yaourts
environ 40 cl de lait
1/8 d'ananas
1 demi-mangue
entre 1 et 2 cm d'une racine de gingembre selon votre goût
quelques glaçons

1 Versez le lait et les yaourts dans le blender ; coupez un bout de racine de gingembre, entre 1 et 2 cm, et ajoutez au blender.

2 Pelez la mangue, retirez la chair du noyau en commençant par les côtés plats du fruit. Pelez l'ananas et coupez-le en 8 quartiers ; il est inutile de retirer le cœur.

3 Ajoutez les fruits dans le blender, puis 4 ou 5 glaçons à convenance

4 Mixez entre 20 et 30 secondes, versez dans un verre et consommez immédiatement ou conserver au réfrigérateur 2 heures maximum.

variante

Vous pouvez remplacer le lait et le yaourt par du lait de soja nature ou à la vanille.

truc de cuisinier

Pelez le gingembre en le tenant verticalement sur le plan de travail, et en grattant la peau avec la lame d'un couteau d'office tenu perpendiculairement à la racine.

©Accoutrements

Zen kiwi

coût moyen • facile à réaliser • préparation : 4 min • pour 2 verres

kiwi
fraise
amandes effilées
lait de soja

Ingrédients pour 2 verres de 30 cl :

1 kiwi

100 g de fraises fraîches ou surgelées

1 cuillère à soupe d'amandes effilées

40 cl de lait de soja

Versez le lait de soja dans le blender avec les amandes effilées.
Rincez les fraises sous l'eau froide avant de les équeuter.
Pelez le kiwi.
Ajoutez les fruits au blender.
Mixez entre 20 et 30 secondes.
Versez dans un verre et consommez immédiatement.

Fast breakfast

coût moyen • facile à réaliser • préparation : 4 min • pour 2 verres

myrtille - banane
miel - müesli
yaourt - jus d'orange

Ingrédients pour 2 verres de 30 cl :

60 g de myrtilles fraîches ou surgelées

1 banane

1 yaourts

2 cuillères à soupe de miel

4 cuillères à soupe de muesli

environ 40 cl de jus d'orange pressée (5 ou 6 oranges environ)

Versez le jus d'orange et le yaourt dans le blender.
Ajoutez le müesli et le miel.
Rincez les myrtilles si elles sont fraîches et pelez la banane.
Ajoutez les myrtilles et la banane au blender.
Mixez entre 20 et 30 secondes.
Versez dans un verre et consommez immédiatement.

Canadabana

coût moyen • facile à réaliser • préparation : 4 min • pour 2 verres

myrtille - banane
sirop d'érable
yaourt - lait

Ingrédients pour 2 verres de 30 cl :

2 yaourts
environ 40 cl de lait
sirop d'érable
1 banane mûre
une demi-barquette de myrtilles fraîches (60 g) ou des myrtilles surgelées

Versez le lait et les yaourts dans le blender. Ajoutez 2 cuillerées à soupe de sirop d'érable.
Pelez la banane avant de l'ajouter au blender avec les myrtilles.
Mixez entre 10 et 20 secondes.
Versez dans un verre et consommez immédiatement.

Eden milk

coût moyen • facile à réaliser • préparation : 4 min • pour 2 verres

ananas - banane
vanille - germe de blé
miel - lait de coco

Ingrédients pour 2 verres de 30 cl :

1/8 d'ananas
1 banane
2 gouttes de vanille
2 pincées de germe de blé
1 cuillère à soupe de miel
environ 30 cl de lait de coco

Versez le lait de coco dans le blender. Ajoutez 2 ou 3 gouttes de concentré de vanille, une cuillerée à soupe de miel et 2 pincées de germe de blé (environ un quart d'une barquette).
Pelez l'ananas et coupez-le en 8 quartiers. Ajoutez au blender un quartier d'ananas, et une banane pelée.
Mixez entre 10 et 20 secondes.
Versez dans un verre et consommez immédiatement.

Fresh start

coût moyen • facile à réaliser • préparation : 6 min • pour 2 verres

melon - concombre
avocat
abricot sec - muesli
jus de pomme

Ingrédients pour 2 verres de 30 cl :

environ 30 cl de jus de pomme

1/4 de melon

1/4 de concombre

1/4 d'avocat

3 ou 4 abricots secs

2 cuillères à soupe de muesli

quelques glaçons

Coupez le melon en quartiers, et retirez la peau et les pépins. Pelez le concombre. Coupez l'avocat en deux avant de le peler d'en retirer le noyau.
Versez le jus de pomme dans le blender avec les abricots secs.
Ajoutez le melon, le concombre, l'avocat, le müesli et 3 ou 4 glaçons.
Mixez entre 20 et 30 secondes.
Versez dans un verre et consommez immédiatement.

Sambanana

coût moyen • facile à réaliser • préparation : 6 min • pour 2 verres

goyave - mangue - fraises
banane - jus d'orange

Ingrédients pour 2 verres de 30 cl :

2 goyaves

1 demi-mangue

environ 50 g de fraises

1 demi-banane

environ 40 cl de jus d'orange (5 ou 6 oranges)

quelques glaçons

Pelez et coupez en deux les goyaves, puis retirez les graines avec une cuillère.
Pelez la mangue avec un grand couteau de cuisine et retirez la chair du noyau en commençant par les côtés plats du fruit.
Verser le jus d'orange pressée dans le blender.
Ajoutez la goyave, la mangue, les fraises et une demi-banane pelée au blender avec 4 ou 5 glaçons.
Mixez entre 20 et 30 secondes.
Versez dans un verre et consommez immédiatement.

Maple treat

coût moyen • facile à réaliser • préparation : 4 min • pour 2 verres

poire
noix de pécan
sirop d'érable
yaourt
lait

Ingrédients pour 2 verres de 30 cl :

2 yaourts

environ 40 cl de lait

sirop d'érable

2 poires mûres

3 cuillères à soupe de noix de pécan

quelques glaçons

1 Versez le lait et les yaourts dans le blender ; ajoutez 2 cuillerées à soupe de sirop d'érable et les noix de pécan.

2 Lavez ou pelez les poires, puis coupez-les en quartiers pour retirer les pépins ; ajoutez la poire dans le blender.

3 Ajoutez 4 ou 5 glaçons à votre convenance.

4 Mixez entre 20 et 30 secondes, versez dans un verre et consommez immédiatement ou conserver au réfrigérateur 2 heures maximum.

variante

Remplacez les poires par des pommes et les noix de pécans par des amandes effilées.

truc de cuisinier

Une fois la bouteille ouverte, le sirop d'érable se conserve au réfrigérateur plusieurs semaines sans problème. Faites des réserves !

Jetlag joker

bon marché • facile à réaliser • préparation : 4 min • pour 2 verres

fraise
pomme
menthe fraîche
ginkgo
yaourt
jus d'orange

Ingrédients pour 2 verres de 30 cl :

100 g de fraises fraîches ou surgelées

1 pomme

2 yaourts

5 ou 6 feuilles de menthe fraîche

1 gellule de gingko

environ 40 cl de jus d'orange pressée (5 ou 6 oranges environ)

quelques glaçons

1. Rincez les fraises sous l'eau froide avant de les équeuter (ceci est inutile si elles sont surgelées) ; lavez ou pelez la pomme (au choix), coupez-la en quartiers et retirez les pépins.
2. Versez le jus d'orange et les deux yaourts dans le blender ; ajoutez la gélule de gingko et 5 ou 6 feuilles de menthe fraiche.
3. Ajoutez les quartiers de pomme et les fraises dans le blender ; complétez avec 4 ou 5 glaçons.
4. Mixez entre 20 et 30 secondes, versez dans un verre et consommez immédiatement.

variante

Si vous ne disposez pas de fraises à maturité, vous pouvez préférer des myrtilles, même surgelées.

truc de cuisinier

Vous trouverez le gingko dans la plupart des épiceries bio, herboristeries ou parapharmacies. Peu importe la forme (gélule, pilule, poudre, ampoule), utilisez la dose recommandée.

Radical boost

bon marché • facile à réaliser • préparation : 4 min • pour 2 verres

raisin
pomme
ananas
figue
ginseng
jus de poire

Ingrédients pour 2 verres de 30 cl :

environ 40 cl de jus de poire

10 raisins blancs

1 pomme

1/8 d'ananas frais

2 figues fraîches ou 1 figue séchée

1 gélule de ginseng

quelques glaçons

1 Pelez l'ananas et couper-le en 8 quartiers ; il est inutile de retirer le cœur ; lavez les raisins et les figues, puis retirez la queue des figues avec un petit couteau d'office.

2 Lavez ou pelez la pomme (au choix), coupez-la en quartiers et retirez les pépins.

3 Versez le jus de poire dans le blender avec la gélule de ginseng. Ajoutez les raisins, les figues, le quartier d'ananas, les quartiers de pomme puis 4 ou 5 glaçons à votre convenance.

4 Mixez entre 20 et 30 secondes, versez dans un verre et consommez immédiatement.

variante

Vous pouvez inverser et utiliser du jus de pomme avec une poire.

Vous trouverez le ginseng dans la plupart des épiceries bio, herboristeries ou parapharmacies. Peu importe la forme (gélule, pilule, poudre, ampoule), utilisez la dose recommandée.

After after

bon marché • facile à réaliser • préparation : 4 min • pour 2 verres

carotte
pomme
banane
gingembre
yaourt
jus d'orange

Ingrédients
pour 2 verres de 30 cl :

1 carotte

1 pomme

1 banane

1 yaourt

entre 1 et 2 cm d'une racine de gingembre selon votre goût

environ 40 cl de jus d'orange pressée (5 ou 6 oranges environ)

1. Versez le jus d'orange et le yaourt dans le blender ; coupez un bout de racine de gingembre, entre 1 et 2 cm, et ajoutez au blender.

2. Pelez la carotte, la pomme et la banane ; coupez la pomme en quartiers et retirez les pépins.

3. Ajoutez les fruits et le yaourt au blender.

4. Mixez entre 20 et 30 secondes, versez dans un verre et consommez immédiatement.

variante

Si l'acidité du jus d'orange pose un problème certains matins difficiles, préférez du jus de pomme ou du jus de carotte.

truc de cuisinier

Si vous disposez d'une centrifugeuse, vous préfèrerez peut-être extraire le jus de la carotte.

Soft défense

coût moyen • facile à réaliser • préparation : 6 min • pour 2 verres

kiwi
ananas
myrtille
gingembre
échinacée
jus d'orange

Ingrédients pour 2 verres de 30 cl :

1 kiwi

1/8 d'ananas

80 g de myrtilles fraîches ou surgelées

1 gélule d'échinacée

entre 1 et 2 cm d'une racine de gingembre selon goût

environ 40 cl de jus d'orange pressée (5 ou 6 oranges environ)

quelques glaçons

1. Versez le jus d'orange et l'échinacée dans le blender ; coupez un bout de racine de gingembre, entre 1 et 2 cm, et ajoutez au blender.
2. Pelez le kiwi et rincez les myrtilles si elles sont fraîches. Pelez l'ananas et coupez-le en 8 quartiers.
3. Ajoutez les fruits au blender.
4. Mixez entre 20 et 30 secondes, versez dans un verre et consommez immédiatement.

variante

Vous pouvez également ajouter de la mangue et du jus de citron.

truc de cuisinier

Vous trouverez l'échinacée dans la plupart des épiceries bio, herboristeries ou parapharmacies. Peu importe la forme (gélule, pilule, poudre, gouttes), utilisez la dose recommandée.

Banaçaì

coût moyen • facile à réaliser • préparation : 4 min • pour 2 verres

açaì
banane
myrtille
yaourt
jus de pomme

Ingrédients pour 2 verres de 30 cl :

100 g de pulpe d'açai

80 g de myrtilles fraîches ou surgelées

1 banane

1 yaourt

environ 40 cl de jus de pomme

1. Versez le jus de pomme et la pulpe d'açaì dans le blender.
2. Pelez la banane, rincez les myrtilles si elles sont fraîches.
3. Ajoutez le yaourt et les fruits au blender.
4. Mixez entre 20 et 30 secondes, versez dans un verre et consommez immédiatement.

variante

Ajoutez du müesli pour en faire un petit déjeuner complet !

truc de cuisinier

L'açaì n'est pas distribuée en dehors du Brésil sous sa forme naturelle de fruit, mais en pulpe, sirop ou poudre. La pulpe surgelée est la forme idéale pour réaliser des smoothies.

na Juice
la forme
au coeur du

Super orange

coût moyen • facile à réaliser • préparation : 4 min • pour 2 verres

acerola
mangue
jus d'orange

Ingrédients pour 2 verres de 30 cl :

100 g de pulpe d'acerola

la moitié d'une mangue fraîche

environ 40 cl de jus d'orange pressée (5 ou 6 oranges environ)

1. Versez le jus d'orange et la pulpe d'acerola dans le blender.
2. Pelez la mangue, retirez la chair du noyau en commençant par les côtés plats du fruit et ajoutez au blender.
3. Inutile de rajouter des glaçons, la pulpe d'acerola étant surgelée.
4. Mixez entre 30 et 40 secondes, versez dans un verre et consommez immédiatement.

variante

Remplacez la mangue par de l'ananas.

truc de cuisinier

Si vous ne trouvez pas de pulpe surgelée d'acerola, vous pouvez en utiliser sous forme de gélules. Dans ce cas, ajoutez des glaçons et augmentez légèrement la quantité de mangue.

Super berries

coût moyen • facile à réaliser • préparation : 4 min • pour 2 verres

açaì
fraises
myrtilles
ananas
jus de pomme

Ingrédients pour 2 verres de 30 cl :

100 g de pulpe d'açaì

50 g de myrtilles fraîches ou surgelées

50 g de fraises fraîches ou surgelées

1/8 d'ananas

environ 30 cl de jus de pomme

1. Versez le jus de pomme et la pulpe d'açaì dans le blender.
2. Pelez l'ananas et coupez-le en 8 quartiers ; il est inutile de retirer le coeur. Si les fruits sont frais, rincez les fraises et les myrtilles sous l'eau froide, puis équeutez les fraises.
3. Ajoutez un quartier d'ananas, les fraises et les myrtilles au blender.
4. Mixez entre 20 et 30 secondes, versez dans un verre et consommez immédiatement.

variante

Remplacez le jus de pomme par du lait pour une version crémeuse de ce smoothie.

truc de cuisinier

Si vous ne pouvez vous procurer d'açaì, utilisez des pruneaux d'agen ; leur teneur en anti-oxydants est très proche.

Pomegranate bliss

coût moyen • facile à réaliser • préparation : 6 min • pour 2 verres

grenade
fraise
lait

Ingrédients pour 2 verres de 30 cl :

2 grenades

environ 100 g de fraises fraîches ou surgelées

40 cl de lait

Incisez la peau des grenades avec la pointe d'un couteau comme pour les couper en quartiers. Plongez les grenades dans un récipient d'eau froide et pelez les fruits sous l'eau en séparant les graines qui sont à l'intérieur des fruits. Jetez l'eau et les fibres de fruit qui flottent en surface. Versez les graines et la pulpe dans le blender.
Rincez les fraises sous l'eau froide avant de les équeuter et ajoutez-les au blender.
Versez le lait.
Mixez entre 20 et 30 secondes.
Versez dans un verre et consommez immédiatement.

Red boom

coût moyen • facile à réaliser • préparation : 4 min • pour 2 verres

grenade
fraise
framboises
myrtilles
lait

Ingrédients pour 2 verres de 30 cl :

2 grenades

50 g de fraises fraîches ou surgelées

50 g de framboises fraîches ou surgelées

50 g de myrtilles fraîches ou surgelées

30 cl de lait

Incisez la peau des grenades avec la pointe d'un couteau comme pour les couper en quartiers. Plongez les grenades dans un récipient d'eau froide et pelez-les fruits sous l'eau en séparant les graines qui sont à l'intérieur des fruits. Jetez l'eau et les fibres de fruit qui flottent en surface. Versez les graines et la pulpe dans le blender.
Rincez les fraises sous l'eau froide avant de les équeuter.
Rincez les myrtilles sous l'eau froide. Si besoin, nettoyez les framboises fraîches en retirant les éventuelles feuilles et débris, mais ne les passez pas sous l'eau.
Versez le lait dans le blender, puis ajoutez tous les fruits rouges.
Mixez entre 20 et 30 secondes.
Versez dans un verre et consommez immédiatement.

Agualatte

bon marché • facile à réaliser • préparation : 4 min • pour 2 verres

avocat
miel
pomme
lait

Ingrédients pour 2 verres de 30 cl :

1 avocat

1 pomme

environ 2 cuillères à soupe de miel

40 cl de lait

quelques glaçons

Coupez en deux l'avocat, retirez le noyau et la peau.
Pelez la pomme, avant de la couper en quartiers et d'en retirer les pépins.
Versez le lait dans le blender, puis ajoutez les moitiés d'avocat et les quartiers de pomme avec 4 ou 5 glaçons au choix.
Mixez entre 20 et 30 secondes.
Versez dans un verre et consommez immédiatement.

Matcha magik

coût moyen • facile à réaliser • préparation : 4 min • pour 2 verres

thé vert matcha
banane
lait de soja

Ingrédients pour 2 verres de 30 cl :

1 banane

1 cuillère à café de poudre matcha

50 cl de lait de soja

Versez le lait de soja dans le blender. Ajoutez la poudre de matcha, et la banane pelée.
Mixez entre 20 et 30 secondes.
Versez dans un verre et consommez immédiatement.

Red julep

bon marché • facile à réaliser • préparation : 4 min • pour 2 verres

pastèque
fraises
menthe fraiche
jus d'orange

Ingrédients pour 2 verres de 30 cl :

environ 30 cl de jus d'orange pressée (3 ou 4 oranges environ)

50 g de fraises fraîches ou surgelées

environ 200 g de chair de pastèque

3 ou 4 feuilles de menthe fraîche

quelques glaçons

Coupez un quartier de pastèque et retirez la peau et les graines.
Rincez les fraises sous l'eau froide avant de les équeuter.
Versez le jus d'orange pressée dans le blender avec les feuilles de menthe.
Ajoutez la pastèque et les fraises avec 4 ou 5 glaçons au blender.
Mixez entre 20 et 30 secondes.
Versez dans un verre et consommez immédiatement.

Mellontine

bon marché • facile à réaliser • préparation : 4 min • pour 2 verres

pastèque
clémentines
jus d'orange

Ingrédients pour 2 verres de 30 cl :

environ 30 cl de jus d'orange pressée (3 ou 4 oranges environ)

2 clémentines

environ 200 g de chair de pastèque

quelques glaçons

Coupez un quartier de pastèque et retirez la peau et les graines. Peler les clémentines.
Versez le jus d'orange pressée dans le blender.
Ajoutez la pastèque et les clémentines avec 4 ou 5 glaçons à convenance au blender.
Mixez entre 20 et 30 secondes.
Versez dans un verre et consommez immédiatement.

Blue manzabana

bon marché • facile à réaliser • préparation : 4 min • pour 2 verres

myrtille
banane
jus de pomme

Ingrédients pour 2 verres de 30 cl :

40 cl de jus de pomme

1 banane mûre pelée

une demi-barquette de myrtilles fraîches (60 g) ou des myrtilles surgelées

quelques glaçons

1. Pelez la banane et rincez les myrtilles (si elles sont fraîches).
2. Versez le jus de pomme dans le blender.
3. Ajoutez la banane et les myrtilles au blender avec 4 ou 5 glaçons.
4. Mixez entre 20 et 30 secondes, versez dans un verre et consommez immédiatement.

variante

Pour une recette encore plus crémeuse remplacer la moitié du jus de pomme par un peu de lait et un demi-yaourt.

truc de cuisinier

Si vous utilisez des myrtilles surgelées, inutile de rajouter des glaçons.

Fraise Suprême

bon marché • facile à réaliser • préparation : 4 min • pour 2 verres

fraise
banane
jus d'orange

Ingrédients pour 2 verres de 30 cl :

- environ 100 g de fraises fraîches ou surgelées
- 1 banane mûre pelée
- environ 40 cl de jus d'orange pressée (5 ou 6 oranges environ)
- quelques glaçons

1. Rincez les fraises sous l'eau froide avant de les équeuter. Pelez la banane.
2. Verser le jus d'orange pressée dans le blender.
3. Ajoutez les fraises et la banane avec 4 ou 5 glaçons.
4. Mixez entre 20 et 30 secondes, versez dans un verre et consommez immédiatement

variante

Si vous n'aimez pas la banane vous pouvez utiliser du yaourt pour obtenir cette consistance crémeuse. Dans ce cas, il peut être intéressant de remplacer le sucre de la banane par un peu de miel.

Si vous utilisez des fraises surgelées, il n'est pas nécessaire d'utiliser des glaçons.

Ultraviolet

coût moyen • facile à réaliser • préparation : 4 min • pour 2 verres

fraise
framboise
myrtille
jus de pomme

Ingrédients pour 2 verres de 30 cl :

- 50 g de fraises fraîches ou surgelées
- 50 g de framboises fraîches ou surgelées
- 50 g de myrtilles fraîches ou surgelées
- environ 40 cl de jus de pomme
- quelques glaçons

1 Si les fruits sont frais, rincer les fraises et les myrtilles sous l'eau froide, puis équeuter les fraises.

2 Si besoin, nettoyer les framboises fraîches en retirant les éventuelles feuilles et débris, mais ne pas les passer sous l'eau.

3 Versez les fruits dans le blender, puis le jus de pomme et enfin quelques glaçons (si les fruits sont surgelés, les glaçons sont inutiles).

4 Mixez entre 20 et 30 secondes, versez dans un verre et consommez immédiatement.

variante

Le jus de raisin peut parfaitement remplacer le jus de pomme.

truc de cuisinier

Les framboises et les myrtilles surgelées sont en général très gustatives et permettent ainsi de déguster ce smoothie toute l'année. En saison, préférez des fruits frais avec quelques glaçons pour apprécier la délicatesse du goût.

jus
la vie
au co
coupez
frais

Fragolissima

bon marché • facile à réaliser • préparation : 4 min • pour 2 verres

fraise
kiwi
banane
jus de pomme

Ingrédients pour 2 verres de 30 cl :

- 50 g de fraises fraîches ou surgelées
- 1 kiwi
- 1 banane mûre
- environ 40 cl de jus de pomme
- quelques glaçons

1. Pelez le kiwi avec un couteau d'office : coupez les sommets du fruit puis pelez verticalement le fruit posé sur le plan de travail.
2. Lavez les fraises avant de les équeuter (si elles sont fraîches) et pelez la banane.
3. Versez le jus de pomme dans le blender, puis ajoutez les fruits avec 4 ou 5 glaçons.
4. Mixez entre 20 et 30 secondes, versez dans un verre et consommez immédiatement.

variante

Vous pouvez ajouter quelques feuilles de menthe pour donner encore plus de fraîcheur à ce smoothie .

Si vous préférez ne pas utiliser de glaçons dans votre recette, vous pouvez placer vos fruits au congélateur une demi-heure avant la préparation.

Berry flush

bon marché • facile à réaliser • préparation : 4 min • pour 2 verres

framboise
banane
menthe fraîche
jus de pomme

Ingrédients pour 2 verres de 30 cl :

100 g de framboises fraîches ou surgelées

5 ou 6 feuilles de menthe fraîche

1 banane mûre

environ 40 cl de jus de pomme

quelques glaçons

1 Si besoin, nettoyez les framboises fraîches en retirant les éventuelles feuilles et débris, mais ne pas les passer sous l'eau.

2 Retirez 5 ou 6 feuilles d'une branche de menthe fraîche et pelez la banane.

3 Versez le jus de pomme, puis les framboises, la banane, et les feuilles de menthe dans le blender avec 4 ou 5 glaçons.

4 Mixez entre 20 et 30 secondes, versez dans un verre et consommez immédiatement

variante

Le mariage avec la menthe fonctionne également très bien avec les mûres.

truc de cuisinier

Achetez vos fruits rouges quand ils sont à maturité en pleine saison et conservez-les au congélateur, lavés, dans des petits sacs congélation.

Red bliss

bon marché • facile à réaliser • préparation : 4 min • pour 2 verres

myrtille
fraise
framboise
jus de canneberge

Ingrédients pour 2 verres de 30 cl :

- 50 g de fraises fraîches ou surgelées
- 50 g de framboises fraîches ou surgelées
- 50 g de myrtilles fraîches ou surgelées
- environ 40 cl de jus de canneberge
- quelques glaçons

1. Si les fruits sont frais, rincez les fraises et les myrtilles sous l'eau froide, puis équeutez les fraises.
2. Si besoin, nettoyez les framboises fraîches en retirant les éventuelles feuilles et débris, mais ne pas les passer sous l'eau.
3. Versez le jus de canneberge, puis les fruits dans le blender, et enfin 4 ou 5 glaçons.
4. Mixez entre 20 et 30 secondes, versez dans un verre et consommez immédiatement.

variante

Si le jus de canneberge fait défaut, le jus de raisin fonctionnera à merveille.

truc de cuisinier

Le jus de canneberge se trouve de plus en plus facilement dans la grande distribution, parfois sous son appellation nord-américaine, « Cranberry juice ».

smoothies
soupes

Tangy melowy

coût moyen • facile à réaliser • préparation : 4 min • pour 2 verres

melon
kiwi
menthe fraîche
jus de pomme

Ingrédients pour 2 verres de 30 cl :

1 demi-melon

1 kiwi

3 ou 4 feuilles de menthe fraîche

environ 30 cl de jus de pomme

quelques glaçons

1. Coupez le melon en deux puis en quartiers ; retirez la peau et les pépins de chaque quartier. Pelez le kiwi avec un couteau d'office et coupez-le en deux.
2. Versez le jus de pomme dans le blender avec les feuilles de menthe.
3. Ajoutez les quartiers de melon avec les morceaux de kiwi et quelques glaçons.
4. Mixez entre 20 et 30 secondes, versez dans un verre et consommez immédiatement

variante

Pour une version au goût plus délicat, expérimentez en remplaçant le kiwi par des framboises fraîches ou de la pastèque.

truc de cuisinier

La menthe fraîche se conserve bien mieux au frais dans un sac en plastique hermétiquement fermé.

Pomapom

bon marché • facile à réaliser • préparation : 4 min • pour 2 verres

poire
pomme
abricot
jus de pomme

Ingrédients
pour 2 verres de 30 cl :

1 pomme
1 poire
3 ou 4 abricots frais
environ 30 cl de jus de pomme
quelques glaçons

1 Lavez ou pelez la pomme, et coupez-la en quartiers afin d'en retirer les pépins. Répétez l'opération avec la poire.

2 Lavez les abricots et retirez les noyaux.

3 Versez les morceaux de pomme, poire et abricot dans le blender ; ajoutez le jus de pomme et quelques glaçons

4 Mixez entre 20 et 30 secondes, versez dans un verre et consommez immédiatement

variante

Cette recette s'accommode très bien de quelques noix ou noix de pécan.

truc de cuisinier

Hors saison, vous pouvez utiliser des abricots secs ; remplacer 4 abricots frais par 2 abricots secs.

Pepaminto

coût moyen • facile à réaliser • préparation : 4 min • pour 2 verres

pêche
fruit de la passion
menthe fraiche
jus d'orange

Ingrédients pour 2 verres de 30 cl :

2 pêches mûres

2 fruits de la passion

4 ou 5 feuilles de menthe fraîche

environ 40 cl de jus d'orange pressée (5 ou 6 oranges environ)

quelques glaçons

1. Pelez les pêches, coupez-les en deux, puis retirez le noyau. Coupez en deux les fruits de la passion, récupérez la pulpe avec une petite cuillère.
2. Versez le jus d'orange et 4 ou 5 feuilles de menthes dans le blender.
3. Ajoutez les morceaux de pêche, la pulpe de fruits de la passion et 4 ou 5 glaçons.
4. Mixez entre 20 et 30 secondes, versez dans un verre et consommez immédiatement.

variante

Vous pouvez facilement remplacer le jus d'orange par du jus d'ananas, ou du jus de mangue.

truc de cuisinier

Cette recette mérite d'utiliser des pêches à pleine maturité. Hors saison, il est possible d'utiliser du sorbet de pêche ou des pêches séchées.

domestically
disabled

Sweet amarillo

coût moyen • facile à réaliser • préparation : 4 min • pour 2 verres

abricot
pêche
jus de pomme

Ingrédients pour 2 verres de 30 cl :

2 pêches mûres

4 ou 5 abricots frais (ou 2 ou 3 abricots secs)

environ 40 cl de jus de pomme

quelques glaçons

1. Pelez les pêches, coupez-les en deux, puis retirez le noyau.
2. Lavez les abricots, retirez les noyaux.
3. Versez le jus de pomme, puis ajoutez les quartiers de pêche et d'abricot avec 4 ou 5 glaçons.
4. Mixez entre 20 et 30 secondes, versez dans un verre et consommez immédiatement

variante

Remplacez le jus de pomme par du lait !

truc de cuisinier

Hors saison, vous pouvez utiliser des pêches et des abricots secs en ajoutant un yaourt.

Pink émotion

coût moyen • facile à réaliser • préparation : 4 min • pour 2 verres

pêche
fraise
banane
jus d'orange

Ingrédients pour 2 verres de 30 cl :

- 2 pêches mûres
- 50 g de fraises fraîches ou surgelées
- environ 40 cl de jus d'orange pressée (5 ou 6 oranges environ)
- quelques glaçons

1. Pelez les pêches, coupez-les en deux, puis retirez le noyau.
2. Lavez puis équeutez les fraises et pelez la banane.
3. Versez le jus d'orange dans le blender, puis ajoutez les pêches, les fraises, la banane et 4 ou 5 glaçons.
4. Mixez entre 20 et 30 secondes, versez dans un verre et consommez immédiatement.

variante

Remplacez les fraises par des framboises et le jus d'orange par du jus de pomme.

truc de cuisinier

Cette recette peut être réalisée toute l'année en utilisant des fraises surgelées et des pêches séchées.

Pokipo slim

bon marché • facile à réaliser • préparation : 4 min • pour 2 verres

pomme
kiwi
jus de poire

Ingrédients pour 2 verres de 30 cl :

- 2 pommes
- 2 kiwis
- environ 40 cl de jus de poire
- quelques glaçons

1 Lavez ou pelez les pommes avant de les couper en quartiers et d'en retirer les pépins.

2 Pelez les kiwis.

3 Versez le jus de poire dans le blender, puis ajoutez les fruits et 4 ou 5 glaçons.

4 Mixez entre 20 et 30 secondes, versez dans un verre et consommez immédiatement.

variante

Inversez, utilisez du jus de pomme et des poires !

truc de cuisinier

Les épiceries bio proposent souvent des jus de pomme et de poire de différentes variétés, ce qui permet d'apporter de subtiles variations gustatives.

lavez et coupez
de bons
fruits frais
si vous voulez,
ajoutez de bonnes
yoghurt, lait, jus
céréales ou
énergétiques
mixez dans le blender
avec des jus de fruits

Pink latte

coût moyen • facile à réaliser • préparation : 4 min • pour 2 verres

fraise
framboise
banane
yaourt
jus de pomme

Ingrédients pour 2 verres de 30 cl :

50 g de fraises fraîches ou surgelées

50 g de framboises fraîches ou surgelées

1 banane mûre

2 yaourts

environ 30 cl de jus de pomme

1. Si besoin, nettoyez les framboises fraîches en retirant les éventuelles feuilles et débris, mais ne pas les passer sous l'eau.

2. Lavez puis équeutez les fraises et pelez la banane.

3. Versez le jus de pomme et les yaourts dans le blender, puis ajoutez les fruits.

4. Mixez entre 20 et 30 secondes, versez dans un verre et consommez immédiatement.

variante

Le jus de pomme peut être remplacé par du lait et une cuillerée à soupe de miel.

truc de cuisinier

Afin d'éviter de mettre des glaçons dans les recettes à base de lait et de yaourt, mettez vos fruits au congélateur une vingtaine de minutes avant la préparation. Vous aurez ainsi une boisson très fraîche.

Index des recettes

Tableau des fruits de saison

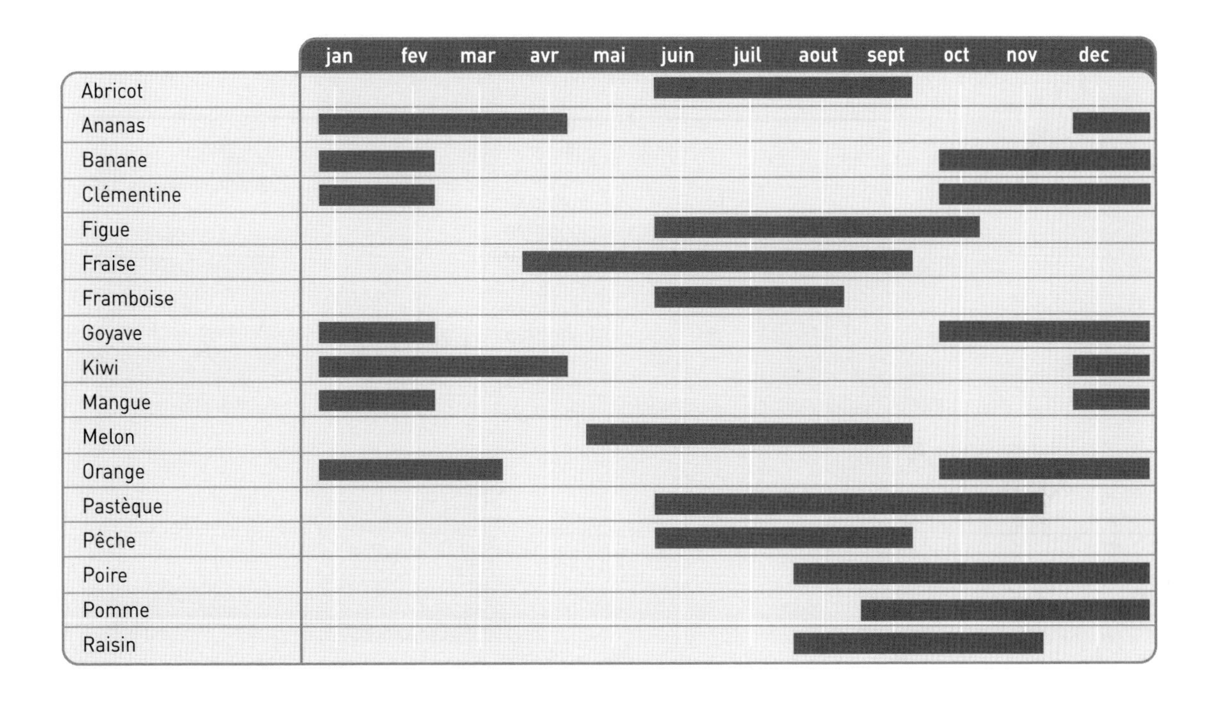

jan
fev
mar
avr
mai
juin
juil
aout
sept
oct
nov
dec
Abricot
Ananas
Banane
Clémentine
Figue
Fraise
Framboise
Goyave
Kiwi
Mangue
Melon
Orange
Pastèque
Pêche
Poire
Pomme
Raisin

Collection Toquades de First

Pour tous les toqués de cuisine !

Au bon pain
100 % machine à pain
Philippe Chavanne

Cakes salés et sucrés
Héloïse Martel

Charlottes rigolotes !
Nicole Renaud

Cocottes minus !
Frédéric Berqué

Croques,
tartines et bruschettas
Héloïse Martel

Crumbles et Cie
Héloïse Martel

Cuisine bling bling
Marie-Claire Frédéric

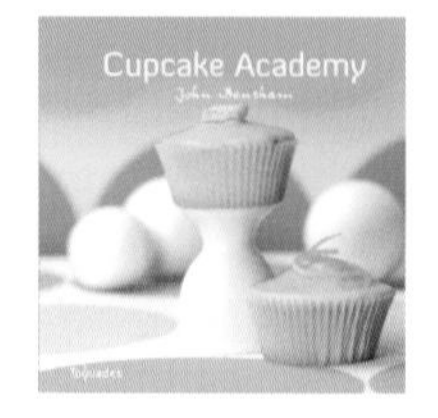
Cupcake Academy

Douceurs de Noël
Nicole Renaud

Effeuillez-moi !
Marie-Claire Frédéric

En deux coups
de cuillère !
Frédéric Berqué

Foie gras follies !
Nicole Renaud

Gratins !
Valéry Drouet

Joyeuses verrines !
Nicole Renaud

La ronde des macarons
Marie-Claire Frédéric

Les cafés gourmands
Valérie Duclos

La cuisine
des p'tits chefs

Le temps d'un éclair
Marie-Claire Frédéric

Madeleine,
ma petite reine

Mamma miam !

Mini-vapeur
Christian Cino
Toquades

Mini verres, maxi délices !
Frédéric Berqué
Toquades

Papillote surprise
Frédéric Berqué
Toquades

Petites crèmes
et tiramisus !
Armand Baratto
Toquades

Recettes minceur
Carole Nitsche
Toquades

Recettes pour bébé
Toquades

Slunch
Pascale Weeks
Toquades

Soirée mousse
Frédéric Berqué
Toquades

Soupes !
Nicole Renaud
Toquades

Sur un air de cappuccino
Héloïse Martel
Toquades

Tatins renversantes
Thierry Roussillon
Toquades

Un amour de dîner
Thomas Feller
Toquades

Un parfum de tajine
Thierry Roussillon
Toquades

Verrines qui friment
Thomas Feller
Toquades

Wok'n roll
Chef Simon
Toquades

Yaourts tout doux
Caroline Wietzel
Avec ou sans yaourtière
Toquades